我是数学迷

头顶上的猫

（美）爱德华·艾因霍恩 著
（美）亚当·古斯塔夫森 绘
丁 蔚 译

外语教学与研究出版社
北京

一天早上，伊桑醒来时，发现自己的头顶上趴着一只猫。这种事情以前也发生过，伊桑的小猫雪朵儿有时候就会蜷在他头顶上睡觉。但是，这次不同——头顶上的这只猫并不是雪朵儿！

"这是什么……你趴在我脑袋上干什么？"伊桑想把这只奇怪的猫赶走，可他就是趴着不动。

　　"别白费力气了，我是不会下去的。"这只猫竟然开口说话了！

　　"你会说话？"伊桑很惊奇。

　　"当然，你不是听见了嘛！"这只猫有点儿不屑地说。

"这……你……这到底是怎么回事？简直让人难以相信！"伊桑一下子从床上跳起来，结结巴巴地喊道。

"听着，我可不是一只普通的猫。"这只猫伸了伸懒腰，"我叫概率，因为我喜欢玩概率游戏。概率你知道吧？就是某件事情发生的可能性。"

"这和你赖在我头顶上有什么关系？"伊桑站在镜子前面，对着镜子向这只猫问道。

"我们玩个游戏，如果你赢了，我就下去，怎么样？"概率说。

"要是平时，我很乐意陪你玩游戏。"伊桑说道，"不过现在我赶着去参加一场足球比赛。这可是一场非常重要的比赛，一个小时后就要开始了。"

"哦？"概率问，"你平时踢足球的时候，有猫趴在你的头顶上吗？"

"快下来吧！大家都等着我呢。"伊桑央求道。可是概率根本没有要动的意思。

伊桑使劲晃了几下脑袋，但一点儿用都没有。他又是上下乱蹦，又是翻跟头，又是倒立，把所有的方法都试了一遍，概率不但没有下来，反而抓得更紧了。

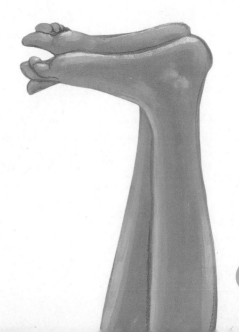

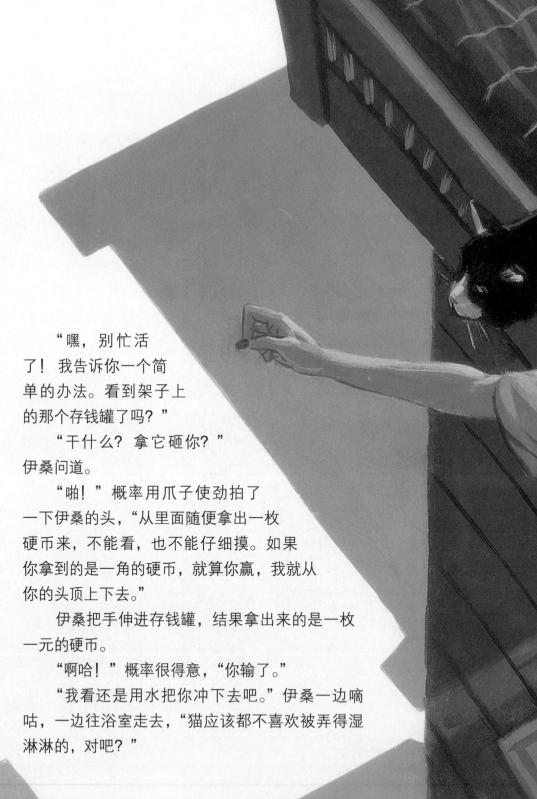

"嘿，别忙活了！我告诉你一个简单的办法。看到架子上的那个存钱罐了吗？"

"干什么？拿它砸你？"伊桑问道。

"啪！"概率用爪子使劲拍了一下伊桑的头，"从里面随便拿出一枚硬币来，不能看，也不能仔细摸。如果你拿到的是一角的硬币，就算你赢，我就从你的头顶上下去。"

伊桑把手伸进存钱罐，结果拿出来的是一枚一元的硬币。

"啊哈！"概率很得意，"你输了。"

"我看还是用水把你冲下去吧。"伊桑一边嘀咕，一边往浴室走去，"猫应该都不喜欢被弄得湿淋淋的，对吧？"

伊桑猜对了，概率确实不喜欢浑身湿淋淋的感觉。他不满地吼着，可依然不肯下去。

伊桑无可奈何地关上了水龙头。"看来，要想让你下去，就只有玩游戏赢了你才行？"

"没错！"概率说。

伊桑穿上了球衣，上衣的领口刚好能让概率钻过去。

"先别穿袜子。"概率说道，"我们要玩另一个游戏。你每双袜子上的图案都不一样。随便拿两只袜子，如果它们恰好是同一双，那么你就赢了。"

伊桑从放袜子的抽屉里抽出一只条纹袜子。"我只要再抽到另一只条纹袜子就行了。"他说道。

　　"没你说的那么简单。"概率说，"这儿有 10 双袜子，抽到同一双袜子的可能性非常小。"

　　"试试看吧！"伊桑深吸一口气，从抽屉里抽出了第二只袜子。

    "啊哈！"概率喊道，"你又输了！抽出 1 只袜子后，抽屉里还剩下 19 只袜子。也就是说，你要从这 19 只袜子里抽出 1 只能跟刚才那只配对的，这样才算赢。这个概率很小啊！"

    "这概率可真差劲！"伊桑忍不住喊道。

    "或许吧，不过我可不能用'差劲'来形容。我一点儿也不差劲。"

    "刚才抽中的概率是 1/19，"伊桑说，"现在是 1/18 了。"他又抽出 1 只袜子，然后失望地叹了口气。这只袜子是星星图案的，也不对。

    "我看我们还是换个游戏吧。"概率打着哈欠说道。

就在这时，门忽然开了，伊桑的小妹妹辛迪跑了进来。"猫咪！"她惊喜地尖叫道，"你好，伊桑！你好，小猫咪！"

"你好。"概率斜着眼睛看了看辛迪。

"我们一起玩吧！"辛迪伸手就去拽概率的尾巴。

概率把尾巴甩开，不屑地说："我只玩和概率有关的游戏。"

"要吃点儿零食吗？"辛迪从旁边拿起一袋弹珠问道。

"猫不吃弹珠——哦，弹珠，有了！"伊桑突然兴奋地喊起来。他把袋子从辛迪手中抢过来，说："用这个也能玩概率游戏，是吧？"

"也许吧。"概率说。

伊桑把弹珠倒在地毯上，数了数，"25颗白色的，25颗黄色的，25颗绿色的，还有25颗蓝色的——总共100颗。"

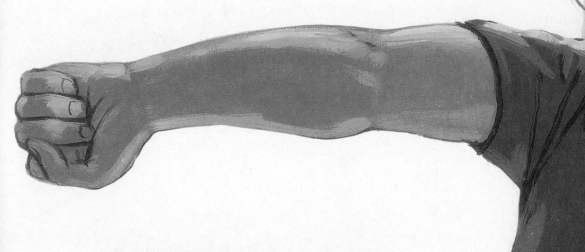

辛迪也跟着数了起来，"1，2，3……好多啊！"

"这样就可以玩概率游戏了。"伊桑说，"我从里面摸1颗白色的弹珠，我摸中的概率是25/100。"

"那也太简单了！"概率说，"25/100不就是1/4吗？"

"啊，我知道怎么玩了，我们一起踩弹珠吧！"辛迪挥舞着手臂就要往弹珠上跳。

"不行！"概率和伊桑齐声喊道。

伊桑让辛迪坐在床上别动。

"要不这样吧！"伊桑说，"我从这 100 颗弹珠里摸 2 颗白色弹珠出来，这样概率就小多了。"

概率耸了耸肩。

"什么是概——率？"辛迪问道。

"我要算一算赢的可能性有多大，辛迪，这就是概率。我按颜色把这些弹珠两两组合，看看我拿到 2 颗白色弹珠的概率有多大。"

"看，有 16 种组合。"伊桑向辛迪解释，"所以，我摸到其中任意 1 种组合的概率是 1/16。"

"概率够小了。"这下概率满意了，"那就开始吧。"

伊桑把弹珠堆在一起，然后闭着眼睛摸了1颗，是白色的！只要再摸到1颗白色的就可以了！伊桑把那颗白色弹珠放到一边，又摸了1颗。可惜这次是黄色的。

"啊哈！"概率喊道，"你又输了。"

"让我瞧瞧！"辛迪伸出手。伊桑叹了口气，把2颗颜色不一样的弹珠递给了她。

辛迪从床上蹦下来，挑了2颗白色弹珠。"我赢了！"她喊道。

"这不算，"伊桑说，"睁着眼睛挑就不是概率游戏了。"

"伊桑！辛迪！吃早饭了！"妈妈喊道。

"再见，猫咪。"辛迪给了概率一个飞吻，跑了出去。

　　"概率，求你了，你快下来吧，我得去踢足球了……"伊桑突然停了下来，"等一下，说不定足球比赛中也存在概率问题呢。如果我们射门 25 次，打进 5 个球，那么进球的概率就是，嗯，1/5……"

　　"然后呢？"概率问道。

　　伊桑叹了口气，"我不知道，边吃饭边想吧。希望现在餐厅没人。"他边说边戴上了一顶大帽子，好把概率给藏起来。

燕麦饼干

辛迪已经吃完了早餐，餐厅里一个人也没有。

"燕麦饼干！"伊桑抓了一把小狗形状的饼干递给概率，"你尝尝，挺好吃的。"

概率哼了一声，"我不喜欢狗。狗不相信概率，总是存有侥幸心理。"

"但是你看，"伊桑有了新的发现，"这些饼干有 5 种形状：贵宾犬、比格犬、柯利牧羊犬、圣伯纳犬和哈巴狗。用这个也能玩概率游戏。"

"说说看。"概率说。

"这和弹珠游戏的原理是一样的，只不过刚才是 4 种不同的颜色，现在是 5 种不同的形状。"伊桑把饼干按形状成对放好，"一共有 25 种组合，你想让我选什么形状的饼干？"

"2 块哈巴狗形状的吧。"概率说。

"好的。"伊桑闭上眼睛，把饼干的顺序打乱。"概率是 1/25。"他取出 1 块饼干，"哈巴狗！"伊桑把它放到一边，闭上眼睛，又取了 1 块。

"就是它了！"说着，伊桑慢慢摊开手心。

也是哈巴狗！"哈哈！我赢了！"伊桑举着哈巴狗饼干大声喊道，"概率这么小，我竟然抽到了！太棒了！"

他兴奋得跳来跳去，然后突然停了下来。"我不想赶你走的，概率。但是你说过，如果我赢了，你就从我的头顶上下来……"

概率轻轻一跃，跳到桌子上，"干得不错！你真的不想再玩概率游戏了吗？它也许能帮助你成为一名更优秀的球员。"

伊桑想了想，说："嗯，你说得不错。"

"你真的这么认为？"概率很开心，"说来听听。"

"在上一场比赛中，我射门 20 次，打进了 5 个球，"伊桑解释道，"所以我进球的概率是 5/20，也就是 1/4。意思就是，每射门 4 次，我就能打进 1 个球。"

"进球的概率很大啊。"概率说。

"但是看看这个。"伊桑画了一幅图，向概率演示他是怎么射门的。

"我射了 15 个低球，进了 3 个，所以我低射进球的概率是 3/15，也就是 1/5。剩下 5 个是高空吊射，进了 2 个，所以我高空吊射进球的概率是 2/5。这比低射进球的概率要大。"

"这就是说——"伊桑总结道，"如果我多来几次高空吊射，进球的概率会大一些。"

"不错，伊桑！"概率说。

这时，伊桑的妈妈在车库里喊道："伊桑！该出发了。这么重要的比赛可不能迟到啊！"

概率从桌子上跳下来，朝门口走去。"我要走了。只要善于运用概率，你就会赢得比赛，对吧？"

伊桑笑着打开门，"也许是吧。"

数学概率论的历史

17 世纪，在经过一场关于色子游戏的争论之后，两位著名的法国数学家——布莱兹·帕斯卡和皮埃尔·德·费马提出了数学概率论。现在，概率论已经被广泛运用于心理学、经济学、遗传学和其他很多领域。

试试看：闭上眼睛，随意翻到这本书的某一页，里面出现图片的概率是多少？

答案：这本书的每一页都有图片，所以概率是 32/32，或者说 1/1。也就是说，你翻到图片的可能性是 100%！